Chat par-ci

Chat par-ci

Elle, c'est Lorette, une vieille dame avec une jambe
dans le plâtre. Lui, c'est Lundi, un petit chat noir.
Et heureusement qu'il est là pour la distraire de
son ennui. Un jour, il lui ramène même une surprise !
Qui l'a envoyée ? Le monsieur d'en face ?
Lorette l'espère de tout son cœur…

boomerang, une collection de courts romans recto verso.
Pile ou face ? Commencez par l'un ou par l'autre
et laissez-vous surprendre…

À mes grands-mères
S. S.

© Éditions du Rouergue, 2014
www.lerouergue.com

Ouvrage réalisé par
Cédric Cailhol infographiste.
Reproduit et achevé d'imprimer
par France Quercy (Mercuès) en décembre 2016.

Dépôt légal : septembre 2014
N° d'impression : 61239
ISBN : 978-2-8126-0683-0

« loi n° 49-956 du 16 juillet 1949
sur les publications destinées à la jeunesse »

boomerang

Stéphane Servant
Chat par-ci

illustrations Marta Orzel

rouergue

Lundi

J'attends Lundi.

C'est un drôle de nom pour un chat.

Mais je n'aime ni les lundis ni les chats. C'est pour cela que j'ai choisi de l'appeler Lundi. Le lundi est le jour où l'infirmière vient me faire faire les exercices de gymnastique.

Et je n'aime ni la gymnastique, ni l'infirmière. Elle est jeune, belle et elle rit tout le temps. Qu'est-ce qu'il y a de si drôle ? Avec son accent de chanteuse de flamenco, elle est insupportable !

Alors pendant les exercices, je râle, peste et grogne.

– C'est pour votre bien, Madame, quand on vous enlèvera le plâtre, vous trotterez comme un cabri !

Un cabri ?! Tu parles, je ressemblerai à une vieille chèvre !

Après, ce sont les copines du club de scrabble qui arrivent. Elles parlent, parlent et parlent encore. Avec leurs petites dents de souris, elles grignotent tous mes gâteaux. Elles mettent des miettes partout et elles dessinent des cœurs sur le plâtre de ma jambe. Insupportables !

Alors le jour où le chat est entré par la fenêtre, je l'ai appelé Lundi.

Parce que les chats sont aussi laids que les lundis. Ils sont fourbes, voleurs et visqueux. Je les vois dans mon jardin. Ils grattent la terre, ils arrachent mes fleurs et ils font leurs besoins dans mes poireaux. Ils sont insupportables ! Presque aussi insupportables que la gamine blonde de la maison d'à côté.

Mais j'attends quand même Lundi.

Parce que ce n'est pas un chat comme les autres. Il n'appartient à personne. C'est un chat errant. J'ai bien essayé de le chasser la première fois qu'il est entré par la fenêtre. Mais avec ma jambe dans le plâtre, impossible de le poursuivre pour lui donner un bon coup de balai.

Sans peur, Lundi est venu s'installer sur mes genoux et il s'est endormi en ronronnant. Je n'ai pas osé bouger. J'étais dégoûtée. Il est resté longtemps. Lundi était doux et chaud. Pas du tout visqueux. C'était presque agréable. Je me sentais bien. Comme si Lundi avait grignoté la solitude.

Alors maintenant, j'attends Lundi.

Lundi arrive enfin. Il est noir et fin. Il ronronne sur mes genoux. Je lui donne des miettes de gâteaux. Et puis je vois qu'il porte quelque chose autour du cou. Un ruban rouge. Et, attachée à ce ruban, une petite noix. La noix, comme une petite boîte, s'ouvre entre mes doigts. À l'intérieur, il y a un petit papier roulé. Et sur ce petit papier, il est écrit :

Comment ça va ?

Qu'est-ce que c'est que ça ?
Comment ça va ?!
Mais quelle question ! Ça va mal, bien sûr. Je suis vieille avec une jambe dans le plâtre. Comment les choses pourraient-elles aller bien ?!
J'écarte les rideaux. Dans l'immeuble en face, sur son balcon, le vieux monsieur arrose ses bacs de tomates. La gamine de la maison d'à côté joue dans le jardin. Elle court, les bras écartés en poussant des cris ridicules. On dirait un sale pigeon. Ce doit être cette petite chipie qui a écrit ça. Elle doit me faire une blague. Elle est insupportable : elle passe son temps à

se rouler dans l'herbe, à chanter, à rire et à me tirer la langue dès que j'ai le dos tourné. Oh, je ne la vois pas mais je sais bien qu'elle me tire la langue ! Les enfants sont tous comme ça : stupides et mal élevés. Je sais de quoi je parle : c'est un sale gamin du quartier qui m'a foncé dessus avec son vélo. C'est ainsi que je me suis retrouvée avec ce plâtre ridicule. Je suis certaine qu'il l'a fait exprès ! Vraiment, les enfants sont pires que des chats !

J'attrape un stylo et un bout de papier. Si elle veut jouer, on va jouer !

J'écris :

Cacaboudin pot de lapin

Et j'enferme le message dans la noix de Lundi.

Hi hi hi, cette petite peste sera bien surprise quand elle lira la réponse !

Soudain, on sonne à la porte. Ce sont sûrement les vieilles biques du scrabble. Alors je pousse Lundi sur le rebord de la fenêtre et je cache vite mes petits gâteaux.

Mardi

Lundi est revenu le mardi à l'heure du goûter. Je le grattouille un peu entre les oreilles puis j'ouvre la noix. Je rigole en imaginant la tête de la gamine quand elle a lu mon mot. Hi hi hi.

Je lis.

Je suis très triste.
C'est très grossier de dire ça. Je voulais juste qu'on soit amis.
Tant pis !

Qu'est-ce que c'est que ça ? Ce n'est pas du tout le style de cette sale chipie. Je suis certaine qu'elle n'est même pas capable d'aligner trois mots sans faire une faute.

Est-ce que je me serais trompée ? Qui d'autre aurait pu m'écrire ?

J'écarte les rideaux. Le jardin d'à côté est vide. Dans l'immeuble en face, le vieux monsieur arrose ses jardinières. Il prend toujours grand soin de ses légumes, même s'il a peu d'espace pour faire ses cultures.

Avant ma jambe cassée, quand j'étais dans mon jardin, on se souriait, on se faisait un petit signe de la main. Mais on ne s'est jamais parlé. Même s'il est sûrement aussi seul que moi.

Comme s'il avait lu dans mes pensées, le vieux monsieur, du haut de son balcon, baisse les yeux vers moi. Il me fait bonjour. Je ne réponds pas. Je laisse retomber les rideaux, je rougis comme une tomate.

Et si ce n'était pas la gamine qui avait écrit ce message ?

Et si c'était lui ?

Les heures passent, dans le silence de ma cuisine. Juste le tic-tac de la pendule et le ronron de Lundi.

Mais la question reste. Et le souvenir de son bonjour aussi.

Et si c'était lui ?

Oui. Peut-être. Peut-être qu'il est inquiet de ne plus me voir. Peut-être que c'est une façon de prendre de mes nouvelles. Peut-être qu'il voudrait vraiment être ami avec une vieille chèvre comme moi.

Est-ce que je ressemble vraiment à une vieille chèvre ? Je me regarde dans le miroir sur le buffet. J'ai l'air fatiguée. Mais peut-être pas si vieille que ça ?

J'écris :

Désolée, je pensé que c'était une blague. Je vé bien, merci.

Lundi s'étire dans une tache de soleil. Il me regarde de ses grands yeux jaunes.

Je rajoute :

C'est d'accord, on est amis !

J'enferme mon message dans la coquille.

J'ai le cœur qui sautille comme un moineau quand Lundi file par la fenêtre.

Mercredi

Que les journées sont longues sans Lundi !

La petite peste blonde d'à côté a fait du bruit toute l'après-midi : insupportable !

Le vieux monsieur a lu un livre au soleil sur son balcon, à l'ombre de la glycine. Je l'ai observé derrière ma fenêtre. Il souriait parfois, comme s'il lisait une bonne blague. Avec ce sourire sur les lèvres, il n'avait finalement pas l'air si vieux. Comme si la lecture pouvait rendre plus jeune. J'aurais bien aimé lire et sourire avec lui.

Lundi arrive quand le soir tombe.

– Viens vite mon chat !

Je le caresse, je lui gratte le ventre puis quand il s'endort, j'ouvre la noix.

Qu'est-ce que tu aimes dans la vie ?

Je rougis en voyant que le monsieur me tutoie ! Ça veut dire qu'il m'aime sûrement beaucoup ! Cela fait si long-temps que personne ne me parle plus comme ça ! Dans le bus, les parents disent à leurs enfants :

– Laisse ta place à la vieille dame.

Et moi ça me donne envie de leur donner des coups de sac dans la tête !

Non mais oh, *la vieille dame* : je peux encore tenir debout, je ne suis quand même pas une momie ! Et voilà que ce monsieur s'adresse à moi comme si j'étais une jeune fille. Quel bonheur, que je croyais à tout jamais oublié !

Alors vite j'écris.

J'aime les chats (même si ce n'est pas vrai du tout, mis à part Lundi), *j'aime les fleurs, j'aime les gataux, surtout ceux au gingembre. Mais je n'aime ni la gimnastique, ni le scrabeule, ni la pimbêche d'à côté : insupportable !*

Je termine en ajoutant :

Et toi ?

Et quand j'écris ça, « *Et toi ?* », c'est comme si j'avais à nouveau dix ans et toute la vie devant moi.

Jeudi

Le jeudi, le docteur arrive en même temps que Lundi. Zut !

Le docteur me dit qu'on enlèvera le plâtre lundi prochain.

Je l'écoute à peine, je caresse Lundi qui se roule sur mes jambes.

– Je croyais que vous n'aimiez pas les chats, dit le docteur surpris.

– Ce n'est pas un chat, Docteur, c'est Lundi.

– Oui oui, dit le docteur en se grattant le crâne. Lundi pour le plâtre, c'est bien ce que j'ai dit.

Décidément, les docteurs d'aujourd'hui sont bien moins intelligents qu'avant. Celui-là ne comprend rien.

– Mais je ne vous parle pas du plâtre, enfin ! Je vous parle du chat ! C'est Lundi !

Le docteur secoue sa grosse tête :

– Oui, oui, c'est ça. À lundi !

Il finit par s'en aller et, vite, j'ouvre la noix.

J'aime la poésie et le foot. Et moi aussi j'aime beaucoup les fleurs, les chats et les gâteaux, surtout ceux au chocolat.

Il aime le foot ? Regarder des hommes en short ridicule courir après un ballon ? Bon, pourquoi pas... Il doit beaucoup s'ennuyer, ce pauvre monsieur. C'est si difficile de vivre seul.

La poésie, je n'y connais rien. Je n'ai pas beaucoup été à l'école. Mais je me rappelle soudain qu'il y a des poésies sur le calendrier du facteur. Si je lui en envoyais une, ça lui ferait certainement plaisir !

Je choisis un poème qui parle de soleils et de chats et je le recopie en tirant la langue.

Et puis j'ai une idée.
J'écris :

On pourré faire un goûter tous les deux ?

Mais comme je n'ai pas envie qu'il me voie avec un plâtre, j'ajoute :

(Mais pas avant lundi en faim d'après-midi)

Et puis :

Gros bisous.
Signé : Lorette

PS : j'appelle le chat Lundi.

Vendredi

La réponse est arrivée. Je déplie le papier, le cœur battant.

L'homme voudrait être poisson et oiseau,
Le serpent voudrait avoir des ailes,
Le chien est un lion désorienté,
L'ingénieur veut être poète,
La mouche étudie pour devenir hirondelle,
Le poète essaie d'imiter la mouche,
Mais le chat,

Ne veut être que le chat,
Et chaque chat est chat,
De la tête à la queue.

Et le poème est signé : *Pablo Neruda.*

Rien d'autre.

Je fais une grimace pour retenir mes larmes.

Il s'appelle Pablo.

Et Pablo ne veut pas goûter avec moi.

En tout cas, il n'a pas répondu à mon invitation.

Il s'est peut-être rendu compte que j'étais vieille et laide.

Hier encore, je me sentais presque jeune. Et aujourd'hui je suis si fripée dans le miroir du buffet.

Lundi frotte sa tête contre ma joue. Comme pour effacer ma peine. Il miaule, tout doucement.

– Oui, tu as raison, Lundi. Pablo Neruda est peut-être juste timide. Je vais essayer à nouveau !

C'est un très beau poème Pablo, bravo !

PS : Et pour l'invitation à goûter, c'est d'accord ? Dis-moi vite.

Samedi

Mon petit facteur à quatre pattes arrive au matin.

Il a l'air tout joyeux, comme s'il avait croqué des souris toute la nuit.

Est-ce que c'est un bon signe ? Est-ce que Pablo accepte mon invitation ?

Je retiens mon souffle en ouvrant la noix.

C'est d'accord Lorette.
On se retrouve où ?
Gros bisous.

Signé : Sofiane

PS : J'adore les lundis ! Et j'appelle le chat Lunes (c'est de l'espagnol).

PS 2 : Le poème, c'était celui de Pablo Neruda, un poète du Chili, pas le mien. Moi, je ne suis qu'un pouet-pouet.

Je rigole en lisant cette dernière phrase. Sofiane aurait pu se moquer de moi mais il ne le fait pas et je trouve cela très gentil.

Sofiane ? C'est un drôle de prénom. Un peu exotique. Sûrement espagnol. Ou chilien. C'est beau. Ça lui va bien.

Je demande à Lundi roulé sur mon plâtre :

– Ça lui va bien ce prénom, pas vrai ? Et Lunes, ça te va bien aussi. Mon chat du Chili !

Le chat s'étire, passe sa petite langue rose sur ma main. Ce n'est pas du tout visqueux. C'est très doux. Une caresse de nuage.

Comme ça fait très longtemps que je ne suis pas sortie, je propose à Sofiane un rendez-vous chez lui, sur son balcon, près des jardinières qu'il aime tant.

Retrouvons-nous au petit jardin.
À lundi, monsieur Pouet-Pouet.

Je pense : Sofiane, je crois que moi aussi, j'aime beaucoup les lundis !

Dimanche

Je passe la journée à cuisiner des gâteaux. Au gingembre pour moi. Et au chocolat pour lui. Qu'est-ce que le temps est long quand on attend le lundi !

Lundi

Ce matin, on m'a enfin enlevé le plâtre. Après ça, je suis allée chez le coiffeur et j'ai acheté une jolie robe à fleurs. Je m'observe un instant dans le miroir. Je ne ressemble pas à une vieille chèvre. Peut-être un peu vieille, ça oui, mais je suis plutôt jolie.

Lundi se promène dans le jardin avec une chatte toute blanche. On dirait le jour et la nuit. Ils se roulent dans les poireaux mais je m'en fiche. Ce n'est pas l'heure de la soupe. Aujourd'hui j'ai rendez-vous !

Je pousse la porte. Je rigole en imaginant la tête des vieilles biques du scrabble quand elles arriveront chez moi. Personne. Hop, la Lorette est partie. Les gâteaux seront juste pour Sofiane et moi.

Je ferme la porte. Il fait beau. La gamine d'à côté revient de l'école, le cartable sur le dos.

Elle me lance joyeusement :

– Bonjour, Madame !

Je réponds en lui tirant la langue et elle éclate de rire.

Quand la porte s'ouvre, je dis : Bonjour Monsieur Pouet Pouet !

Sofiane me regarde avec des yeux en forme de points d'interrogation, comme s'il avait oublié le rendez-vous.

– J'ai apporté des gâteaux. Au gingembre pour moi. Et au chocolat pour vous.

Le monsieur sourit.

– Madame, je ne sais pas du tout de quoi vous parlez. Mais j'adore les gâteaux ! Entrez.

Décidément, quel merveilleux lundi !

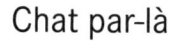

Chat par-là

Chat par-là

Lui, c'est Sofiane, et il en a marre d'être enfermé
toute la journée à cause d'un accident de vélo.
Le petit chat, c'est Lunes. Ensemble, ils forment
une équipe du tonnerre ! Sofiane aimerait bien être
ami avec la petite fille qui s'amuse dans le jardin
d'à côté. Mais comment faire ? La réponse se trouve
peut-être dans une coquille de noix...

boomerang, une collection de courts romans recto verso.
Pile ou face ? Commencez par l'un ou par l'autre
et laissez-vous surprendre...

Merci à Mirka, Mirguette, Ficelle et Châtaigne,
et tant pis pour les poireaux...
S. S.

© Éditions du Rouergue, 2014
www.lerouergue.com

Ouvrage réalisé par
Cédric Cailhol infographiste.
Reproduit et achevé d'imprimer
par France Quercy (Mercuès) en décembre 2016.

Dépôt légal : septembre 2014
N° d'impression : 61239
ISBN : 978-2-8126-0683-0

« loi n° 49-956 du 16 juillet 1949
sur les publications destinées à la jeunesse »

boomerang

Stéphane Servant
Chat par-là

illustrations Marta Orzel

rouergue

Lundi

J'attends Lunes.

C'est un drôle de nom pour un chat.

Mais j'adore les lundis et les chats. Et l'espagnol aussi. Lunes, ça veut dire lundi.

Le lundi est le jour où l'infirmière vient me faire faire les exercices de gymnastique.

Elle est jeune, belle et elle rit tout le temps. Elle a un accent espagnol qui chante. Et j'aime bien ça.

Alors pendant les exercices, je ris avec elle.

– Tu verras, Chico, quand on t'enlèvera le plâtre, tu trotteras comme un jaguar !

J'espère bien !

Après, j'aimerais bien que des copains sonnent à la porte de l'appartement. Je rêve qu'ils m'apportent les devoirs pour la semaine. On discuterait de ce qui s'est passé à l'école. On grignoterait des gâteaux. Ils dessineraient des têtes de mort sur le plâtre de ma jambe.

Mais personne ne vient jamais sonner à ma porte. Parce que je ne sais pas comment me faire des amis. Le jour où je suis né, on a oublié de me donner le mode d'emploi.

Et les devoirs arrivent par courrier.

Heureusement, il y a Lunes. Ce n'est pas un chat comme les autres. Il n'appartient à personne. C'est un chat errant. Le jour où le chat est entré par la fenêtre en escaladant la glycine, je l'ai appelé Lunes. Parce qu'il était aussi beau et libre que l'infirmière.

Depuis la fenêtre de ma chambre, du haut de mon immeuble, je le vois sauter de jardins en jardins. Il va chez la vieille dame. Il fait pipi dans ses légumes et j'aime bien ça. Parce que c'est à cause d'elle si j'ai la jambe dans le plâtre. J'allais à l'école à vélo et elle a traversé la rue à ce moment-là. Impossible de l'éviter ! Comme si elle avait voulu me faire

tomber. Lunes va aussi dans le jardin d'à côté. Ton jardin. Le jardin où je te vois jouer. Je ne sais pas ton nom. Mais j'aime bien quand tu chantes, que tu ris et que tu danses. Tu te débrouilles bien avec un ballon. Peut-être qu'on pourrait faire une partie quand je n'aurai plus le plâtre ?

Hier, j'étais à la fenêtre et je te regardais jouer. Tu as levé la tête vers moi et tu m'as fait un signe de la main. Je n'ai pas osé te répondre. Je me suis caché derrière les rideaux. J'ai pensé à toi toute la nuit.

Aujourd'hui j'ai décidé de t'envoyer un message. Lunes sera mon

petit facteur. Il grimpe le long de la glycine, se glisse entre mes jambes et ronronne.

J'attache autour de son cou un ruban rouge et une petite noix que m'a offerte ma mère. Elle s'ouvre et se ferme comme une boîte.

Sur un bout de papier, j'écris :

Comment ça va ?

Je n'ose pas ajouter autre chose. Parce que quelqu'un d'autre pourrait trouver ce message. Parce que tu pourrais rire de moi. Pourquoi est-ce que je suis si timide ? Mon père m'appelle « l'huître » parce qu'il dit que je m'enferme dans une coquille. Ma mère

dit que je suis une perle qui un jour brillera au soleil. Moi, je voudrais bien en sortir maintenant de cette coquille. Mais à quoi ça ressemble une huître sans coquille ? À un truc mou et visqueux. À rien. À moi.

En fin d'après-midi, quand Lunes s'en va, je lui dis :

– Porte ce message à la petite fille. Tu as bien compris ?

Il ronronne en frottant son petit museau noir sur mon plâtre.

Lunes est intelligent. Je sais qu'il fera ce que je lui dis.

Ce que je ne sais pas, c'est si tu me répondras.

Et quand on ne sait pas, on espère.

Lunes revient au moment où papa m'appelle pour dîner.

– J'arrive !

J'attends un long moment avant d'ouvrir la noix.

Tu roules dans l'herbe du jardin d'en bas. Tu ne lèves pas les yeux vers moi. Est-ce un bon ou un mauvais signe ?

Les questions s'enchaînent dans ma tête. Et si tu n'avais pas répondu. Et si tu voulais bien être mon amie. Et si tu te moquais de moi. Et si. Et si. Et si...

J'ouvre enfin. Il y a bien un message. Un papier quadrillé. De l'encre mauve. Une écriture maladroite que je ne connais pas. Je lis.

Cacaboudin pot de lapin

Je ris. Je ris. Et je ris encore. Et quand je ne ris plus, je pleure. Et Lunes me regarde avec des yeux ronds.

J'avais raison.

Voilà, tu te moques de moi.

J'ai été assez bête pour croire que tu voudrais être mon amie.

Tout le monde se moque de moi.

Et en général, je ne dis jamais rien.

Mais cette fois-ci, ça ne va pas se passer comme ça !

Je prends un bout de papier et je griffonne :

Je suis très triste.

C'est très grossier de dire ça. Je voulais juste qu'on soit amis.

Tant pis !

Comme s'il avait compris, Lunes tend son cou et je glisse le mot dans la petite noix.

Dans le jardin d'en bas, tu cours, les bras écartés. Tu ressembles à un petit oiseau sauvage. Un rouge-gorge. Et moi je suis tout seul. Comme une huître. Une perle enfermée dans une coquille. Mais c'est sûrement mieux comme ça.

Mardi

Lunes est revenu dans l'après-midi du mardi. Il se laisse rouler sur le tapis à mes pieds. Je l'attire en lui donnant un gâteau au chocolat puis j'ouvre la noix.

Il y a un nouveau message. Je lis :

Désolée, je pensé que c'était une blague. Je vé bien, merci.

C'est d'accord, on est amis !

Mon cœur se met à faire des bonds, et si je n'avais pas de plâtre, je ferais comme lui. Des bonds de jaguar !

Tu m'as répondu ! Tu m'as répondu, à moi, la petite huître !

Et puis je me demande ce que je vais faire ensuite. Mais ma tête est vide, complètement vide. Comment est-ce qu'on fait, quand on veut se faire des amis ? Est-ce que je devrais te dire que tu fais des fautes d'orthographe ? Peut-être est-ce que je pourrais te proposer de réviser les leçons de français avec moi ? Non, ça ne marcherait certainement pas...

À ce moment-là, on frappe à la porte. Je pousse mon fauteuil jusqu'au couloir. C'est le vieux monsieur de l'appartement d'à côté. Comme je suis tout seul avec la jambe dans le plâtre, il passe au moins une fois par jour voir si tout va bien pour moi.

– Bonjour Sofiane, comment ça va aujourd'hui ? Tu ne t'ennuies pas trop ?

Je bafouille quelque chose comme « Oui non, tout oui, tout va. Pas trop. Oui, bien, tout bien va. »

Le vieux monsieur sourit. Et quand il sourit il a l'air moins vieux.

Il me tend un livre.

– Tiens, j'ai pensé qu'un peu de poésie te ferait du bien. La poésie, ça

aide à guérir de tout. De la jambe et du cœur.

Sur la couverture, il y a un nom : Pablo Neruda.

– Merci.

– Eh bien à bientôt, Sofiane. Bonne lecture !

La porte est presque refermée quand je pose la question :

– Dites, Monsieur. Comment est-ce qu'on fait, quand on rencontre quelqu'un ? Qu'est-ce qu'il faut dire ? Ou ne pas dire ? Quelles questions vous poseriez ?

Le vieux monsieur sourit à nouveau :

– Eh bien, par exemple, tu pourrais demander ce que cette personne aime dans la vie.

Je tape des mains.

– C'est une idée géniale ! Merci Monsieur !

Mercredi

Avec Pablo Neruda et tes chansons et tes rires dans le jardin d'en bas, le mercredi est passé à toute allure. Mes yeux vont des poèmes au jardin, et du jardin aux poèmes. Et tout se mélange. La vie et la poésie. Tout est beau. Tout brille. Et les phrases de Pablo et tes yeux. Des soleils partout.

En rentrant du travail, papa m'a dit : T'as l'air en forme, toi !

Et j'ai répondu : Il fait beau, je sors de ma coquille !

Lunes n'est arrivé qu'à la tombée du soir. Il s'est glissé sans bruit dans ma chambre et il est venu ronronner sur mon oreiller.

Dans la noix, je trouve la réponse à ma question :

Qu'est-ce que tu aimes dans la vie ?

Je lis — et, même si tu as fait des fautes, c'est encore plus beau qu'un poème de Pablo Neruda :

J'aime les chats, j'aime les fleurs, j'aime les gataux, surtout ceux au gingembre. Mais je n'aime ni la

gimnastique, ni le scrabeule, ni la pim-
bêche d'à côté : insupportable !

Et toi ?

Vite, j'attrape un bout de papier et je te réponds.

J'aime la poésie et le foot. Et moi aussi j'aime beaucoup les fleurs, les chats et les gâteaux, surtout ceux au chocolat.

Je ne dis rien sur la vieille dame qui habite à côté de chez toi, celle que tu appelles la pimbêche, celle qui m'a fait tomber de mon vélo. Les vieilles personnes ressemblent parfois à des huîtres. C'est tout dur comme une

coquille à l'extérieur, mais c'est pour se protéger. Souvent, à l'intérieur, c'est tout tendre et plein de poésie.

Jeudi

Lunes m'a ramené un poème. C'est un poème de Maurice Carême qu'on a appris l'an dernier à l'école. Je le lis et le relis à voix haute derrière ma fenêtre.

Le chat ouvrit les yeux,
Le soleil y entra.
Le chat ferma les yeux,
Le soleil y resta.
Voilà pourquoi, le soir

Quand le chat se réveille,
J'aperçois dans le noir
Deux morceaux de soleil.

Et puis il y a une invitation :

On pourré faire un goûter tous les deux ?
(Mais pas avant lundi en faim d'après-midi)

Gros bisous.
Signé : Lorette

PS : j'appelle le chat Lundi.

Lorette, tu as un beau prénom. Un prénom merveilleux. Et tes yeux sont

comme ceux de Lunes : deux soleils qui brillent dans mes nuits !

Je recopie un poème de Pablo Neruda qui parle des rêves des hommes et des chats.

Puis, au moment de répondre à ton invitation pour le goûter, mon stylo s'arrête.

Ce n'est pas qu'il n'a plus d'encre, c'est moi qui n'ai pas le courage.

C'est facile d'écrire quand on a un copain comme Pablo Neruda qui te dicte quoi dire. Quand je serai en face de toi, Pablo ne sera pas là. Et alors, qu'est-ce que je te dirai ? Je bafouillerai certainement, la bouche pleine de gâteaux. Je serai bête comme une huître. Et tu me trouveras ridicule.

Alors je n'ajoute rien. Je t'envoie simplement ce poème.

Vendredi

Lunes fait des bonds autour de moi. Impossible d'attraper la noix. Comme s'il ne voulait pas que je lise ta réponse. Mais Lunes ne peut pas résister au gâteau au chocolat. Il finit par se pelotonner sur mes genoux.

C'est un très beau poème Pablo, bravo !

PS : Et pour l'invitation à goûter, c'est d'accord ? Dis-moi vite.

Je ris ! Tu as cru que je m'appelais Pablo et que j'étais l'auteur du poème !

Tu te moques bien de faire des fautes d'orthographe, tu ne veux pas paraître plus intelligente que tu ne l'es. Alors peut-être que ça ne te gênera pas si je rougis et que je bafouille. Et si on ne veut pas parler, on jouera au foot dans ton jardin !

Je réponds :

C'est d'accord Lorette.
On se retrouve où ?
Gros bisous.

Signé : Sofiane

PS : J'adore les lundis ! Et j'appelle le chat Lunes (c'est de l'espagnol).

PS 2 : Le poème, c'était celui de Pablo Neruda, un poète du Chili, pas le mien.

Pour lui montrer que je sais rigoler, j'ajoute :

Moi, je ne suis qu'un pouet-pouet.

Samedi

La réponse de Lorette arrive en même temps que Lunes. Je retiens mon souffle en ouvrant la coquille.

Retrouvons-nous au petit jardin.
À lundi, monsieur Pouet-Pouet.

Le petit jardin, tu dois parler de chez toi, certainement ? J'y serai, Lorette. J'y serai !

— Pourquoi tu ris, Sofiane ? me demande maman depuis le salon.

– Oh, rien, c'est parce que j'ai enfin trouvé une perle sous mon plâtre.

Dimanche

Je passe la journée à cuisiner des gâteaux. Au chocolat pour moi. Et au gingembre pour toi. Qu'est-ce que le temps est long quand on attend le lundi !

Lundi

Ce matin, on m'a enfin enlevé le plâtre et je suis retourné à l'école à vélo.

Je suis étonné : quand j'arrive, les copains me serrent la main. Ils ont l'air contents de me revoir. On joue même tous au foot pendant la récré.

La journée s'étire comme un chat.

Quand la cloche sonne, je fonce jusqu'à l'appartement et j'enfile une belle chemise avec des jaguars sauvages.

Je regarde par la fenêtre. Lunes se promène dans le jardin de la vieille

dame. Il est avec une chatte toute blanche. On dirait le jour et la nuit. Ils se roulent dans les poireaux. J'espère que la vieille dame ne sera pas trop furieuse. Il y a des choses plus importantes que les poireaux, pas vrai ?

Je pousse la porte. Sur le palier, je croise la vieille dame de la maison d'en bas. Elle est toute jolie dans une robe à fleurs. Elle semble plus jeune vue d'ici. Elle sourit au monsieur d'à côté, qui vient d'ouvrir sa porte. Elle dit :

– J'ai apporté des gâteaux.

Et le monsieur sourit lui aussi.

En passant à côté de lui, je glisse dans sa main le livre de Pablo Neruda. Mais il me regarde à peine. Parfois, la vie, c'est plus beau que la poésie.

Je tape trois coups contre ta porte. Mon cœur, lui, frappe mille coups dans ma poitrine.

La porte s'ouvre. De l'autre côté, c'est toi et le soleil de tes yeux.

Je dis :

– Comment chat va ? C'est moi le Pouet-Pouet de Lundi !

Tu me regardes avec des yeux comme des soucoupes et puis tu éclates de rire et je ris aussi.

Je te tends les gâteaux.

– Je ne sais pas qui tu es. Je ne sais pas d'où tu viens. Mais je sais que j'aime les gâteaux, ça oui ! Allez, entre, justement, c'est l'heure du goûter !

Décidément, quel merveilleux lundi !